清康熙四十年本

芥子園畫譜

第二集 卷一

金陵沈心友刊

蘭竹譜序

畫有六法蘭竹不與焉此古之幽人君子寄于筆墨以舒性情好尚相同或擅一長或兼二妙法以心傳意先法得煙雲雪月風晴雨露之殊其景丘壑泉石荊棘野艸之異其境淺深層次背向照應之變其局

是惟意在筆先而後能筆超法外雖然難言矣傳墨竹始于王摩詰又云郭崇韜之李夫人于窗間夜影得之又成都大慈寺壁有張立墨竹則晚唐已有不起於五代也黃筌父子崔白弟昆工織入微淋漓揮灑其餘事耳宋元以來文湖州蘇眉山趙

孟堅孟頫仲穆管仲姬吳仲圭柯九思倪雲林皆善寫墨竹有井善墨蘭者獨鄭所南畫蘭不作地坡其高潔人少及之他如戴呂鮑夏趙雲門喬梓稱名家各不相襲故爲世所宗予性疎嬾不耐鈎勒飛白一體王蘊庵能之因屬圖數幅合成全譜以問識者但限于紙丈竹尺蘭雖不足盡吾長豈不藏吾拙哉

康熙壬戌中秋前二日錢塘諸昇題于南山之煙霞精舍

青在堂畫蘭淺說

宓草氏曰每種全圖之前考證古人參以己意必先立諸法次歌訣次起手諸式者便於循序求之亦如學字之初必先撇畫省減以及繁多自一筆二筆至十數筆也故起手式花葉與枝由少瓣以及多瓣由小葉以及大葉由单枝以及叢枝各以類從俾初學胸中眼底如得求字八法雖千百字亦不外乎是庶學者由淺說而深求之則進乎技矣

畫法源流

畫墨蘭自鄭所南趙彜齋管仲姬後相繼而起者代不乏人然分爲二派文人寄興則放逸之氣見於筆端閨秀傳神則幽閒之姿浮於紙上各臻其妙趙春谷及仲穆以家法相傳揚補之與湯叔雅則甥舅媲美楊維幹與彜齋同時皆號子固且俱善畫蘭不相上下以及明季張靜之項子京吳秋林周公瑕蔡景明陳古白杜子經蔣冷生陸包山何仲雅輩出眞墨吐衆香硯滋九畹極一時之盛管仲姬之後女流爭

爲效顰至明季馬湘蘭薛素素徐翩翩楊宛若皆以烟花麗質繪及幽芳雖令湘畹蒙羞然亦超脫不凡不與衆草爲伍者矣

畫葉層次法

畫蘭全在於葉故以葉爲先葉必由起手一筆有釘頭鼠尾螳肚之法二筆交鳳眼三筆破象眼四筆五筆宜間折葉下包根籜式若魚頭成叢多葉宜俯仰而能生動交加而不重疊須知蘭葉與蕙異者細柔與粗勁也入手之法略具於此

畫葉左右法

畫葉有左右式不曰畫葉而曰撇葉者亦如寫字之用撇法手由左至右爲順由右至左爲逆初學須先順手便於運筆亦宜漸習逆手以至左右兼長方爲精妙若拘於順手只能一邊偏向則非全法

畫葉稀密法

葉雖數筆其風韻飄然如霞裾月珮翩翩自由無一點塵俗氣叢蘭葉須掩花花後更須插葉雖似從根而發然不可叢雜能意到筆不到方爲老手須細法

古人自三五葉至數十葉。少不寒悴多不糾紛自能繁簡各得其宜

畫花法

花須得偃仰正反含放諸法。莖插葉中花出葉外。具有向背高下方不重疊聯比花後再襯以葉則花藏葉中間亦有花出葉外者又不可拘執也蕙花雖同于蘭而風韻不及挺然一幹花分四面開有後先。莖直如立花重若垂。各得其態蘭蕙之花忌五出如掌指須掩折有屈伸勢瓣宜輕盈回互。自相照映習久

法熟得心應手。初由法中漸超法外。則爲盡美矣

點心法

蘭之點心如美人之有目也湘浦秋波能使全體生動則傳神以點心爲阿睛花之精微全在乎此豈可輕忽哉

用筆墨法

元僧覺隱曰嘗以喜氣寫蘭怒氣寫竹。以蘭葉勢飛舉。花蕊舒吐得喜之神凡初學必先煉筆筆宜懸肘則自然輕便得宜遒勁而圓活用墨須濃淡合拍葉

宜濃花宜淡點心宜濃莖苞宜淡此定法也若繪色爲生更須知正葉宜濃背葉宜淡前葉宜濃後葉宜淡當進而求之

雙鈎法

鈎勒蘭蕙古人已爲之。但屬雙鈎白描是亦畫蘭之一法。若取肖形色加之青綠。則反失天眞而無丰韻然于衆體中亦不可少此因附其法于後

畫蘭訣 四言

寫蘭之妙。氣韻爲先。墨須精品。水必新泉。硯滌宿垢。筆純忌堅。先分四葉。長短爲玄。一葉交搭。取媚取妍。各交葉畔。一葉仍添。三中四簇。兩葉增全。墨須二色。老嫩盤旋。瓣須墨淡。焦墨蕚鮮。手如掣電。忌用遲延。全憑寫勢。正背欹偏。欲其合宜。分布自然。含三開五。總歸一焉。迎風映日。花蕚娟娟。凝霜傲雪。葉半垂眠。枝葉運用。如鳳翩翩。葩蕚飄逸。似蝶飛遷。殼皮裝束。碎葉亂攢。石須飛白。一二傍盤。車前等草。地坡可安。或增翠竹。一竿兩竿。荆棘旁生。能助其觀。師宗松雪。方得正傳。

畫蘭訣 五言

畫蘭先撇葉。運腕筆宜輕。兩筆分長短。叢生要縱横。
折垂當取勢。偃仰自生情。欲別形前後。須分墨淺深。
添花仍補葉。攢簇更包根。淡墨花先出。柔枝莖再承。
瓣宜分向背。勢更取輕盈。莖裹纖包葉。花分濃墨心。
全開方上仰。初放必斜傾。喜霽皆爭向。臨風似笑迎。
垂枝如帶露。抱蕊似含馨。五瓣休如掌。須同指曲伸。
蕙莖宜挺立。蕙葉要强生。四面宜攢放。梢頭漸綴英。
幽姿生腕下。筆墨爲傳神。

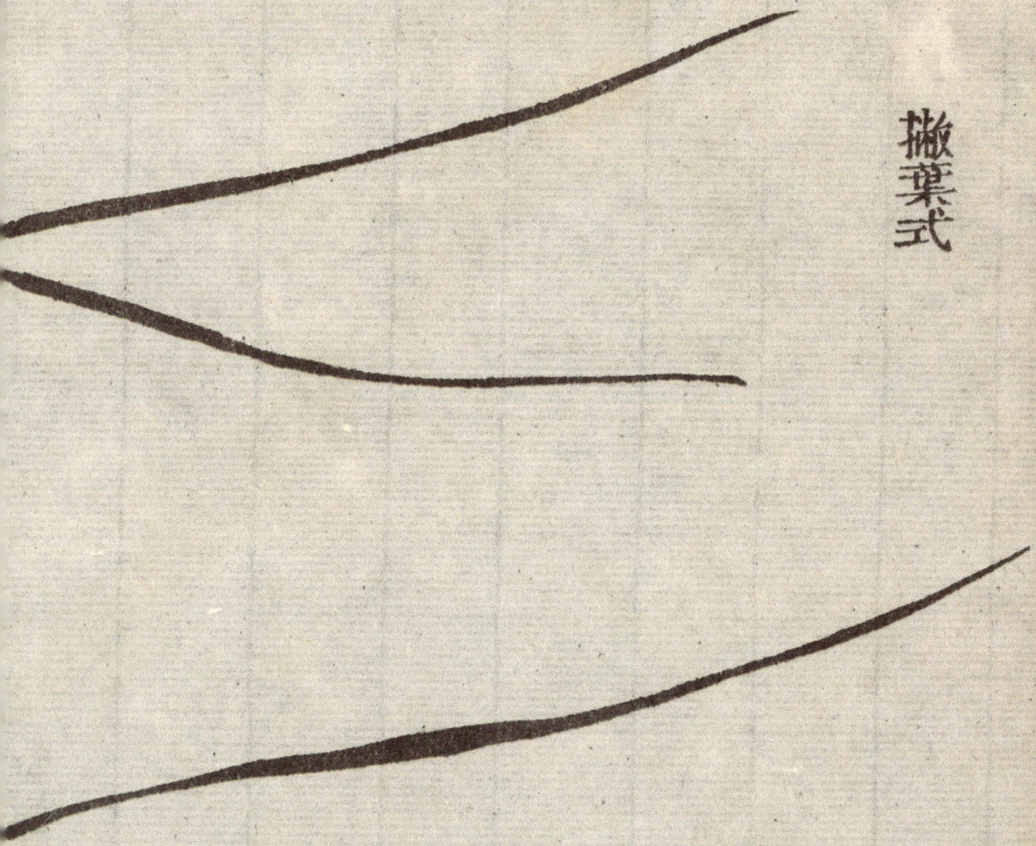

撇葉式

起手第一筆

起手二筆交鳳眼

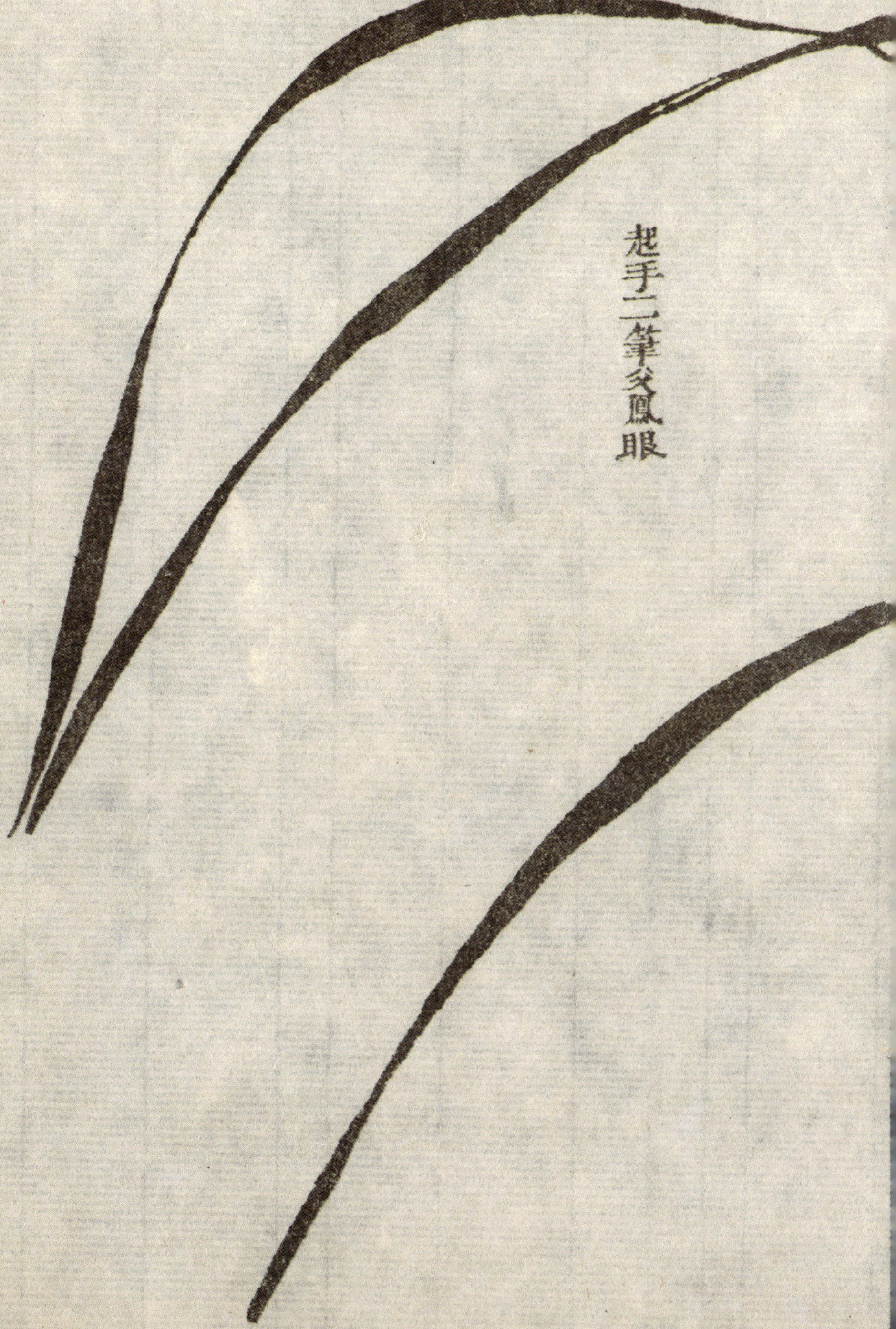

凡畫蘭不可葉葉相勻隨筆撇去不妨若斷若續意到筆不到或麤如螳螂肚或細如鼠尾輕重適宜得心應手名盡其妙

鼠尾

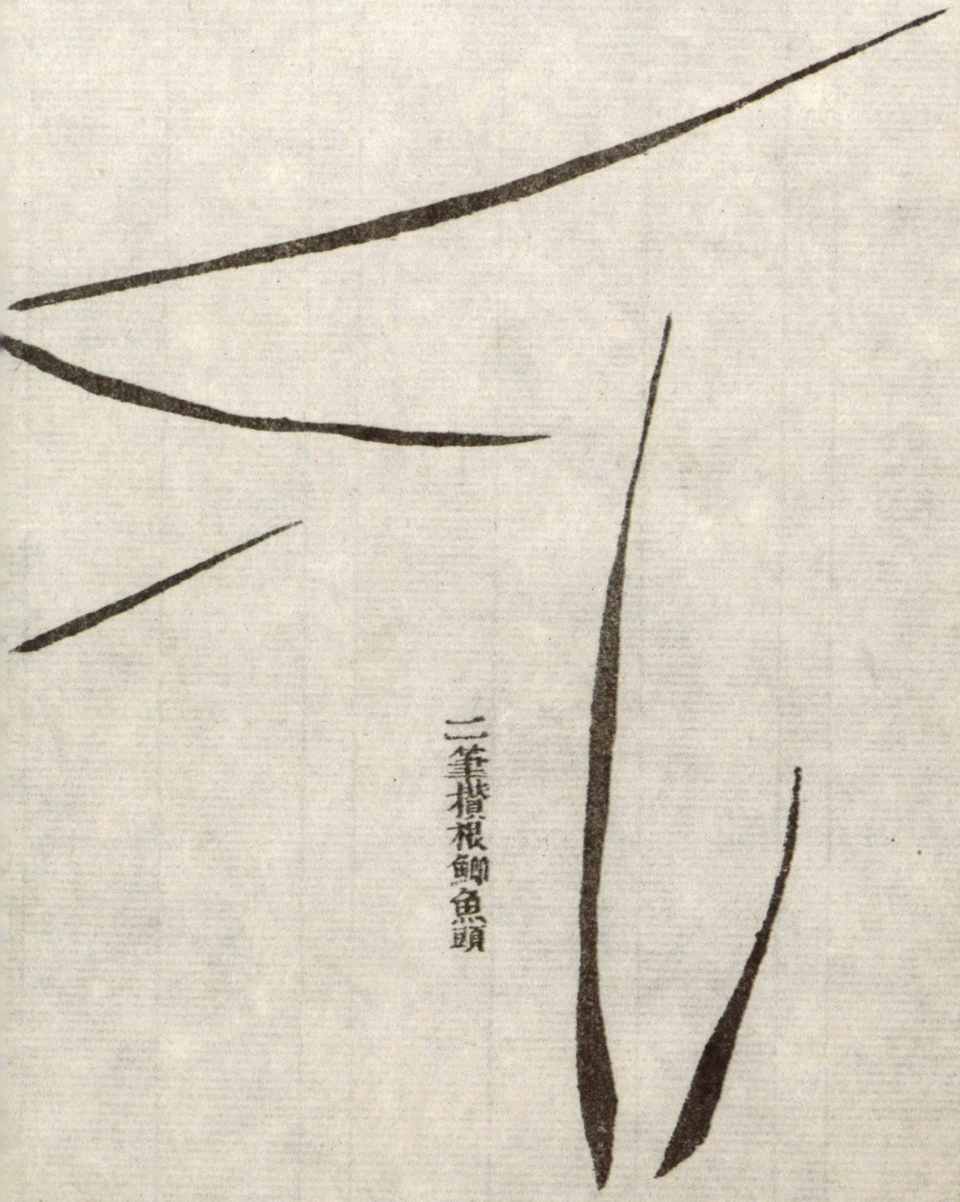

二筆撞根鯽魚頭

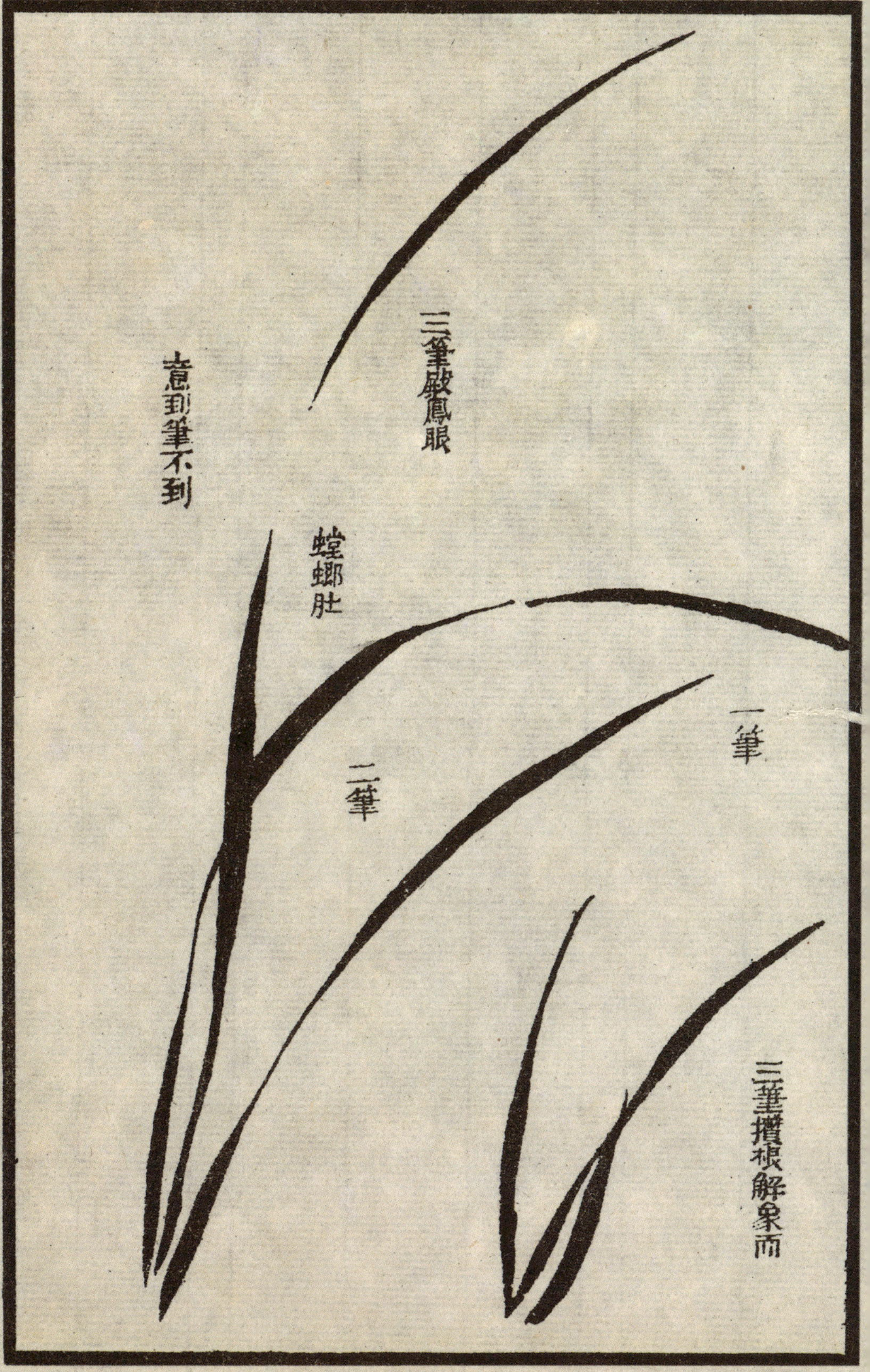
一筆
二筆
三筆攢根解象而
三筆破鳳眼
螳螂肚
意到筆不到

右折蘭

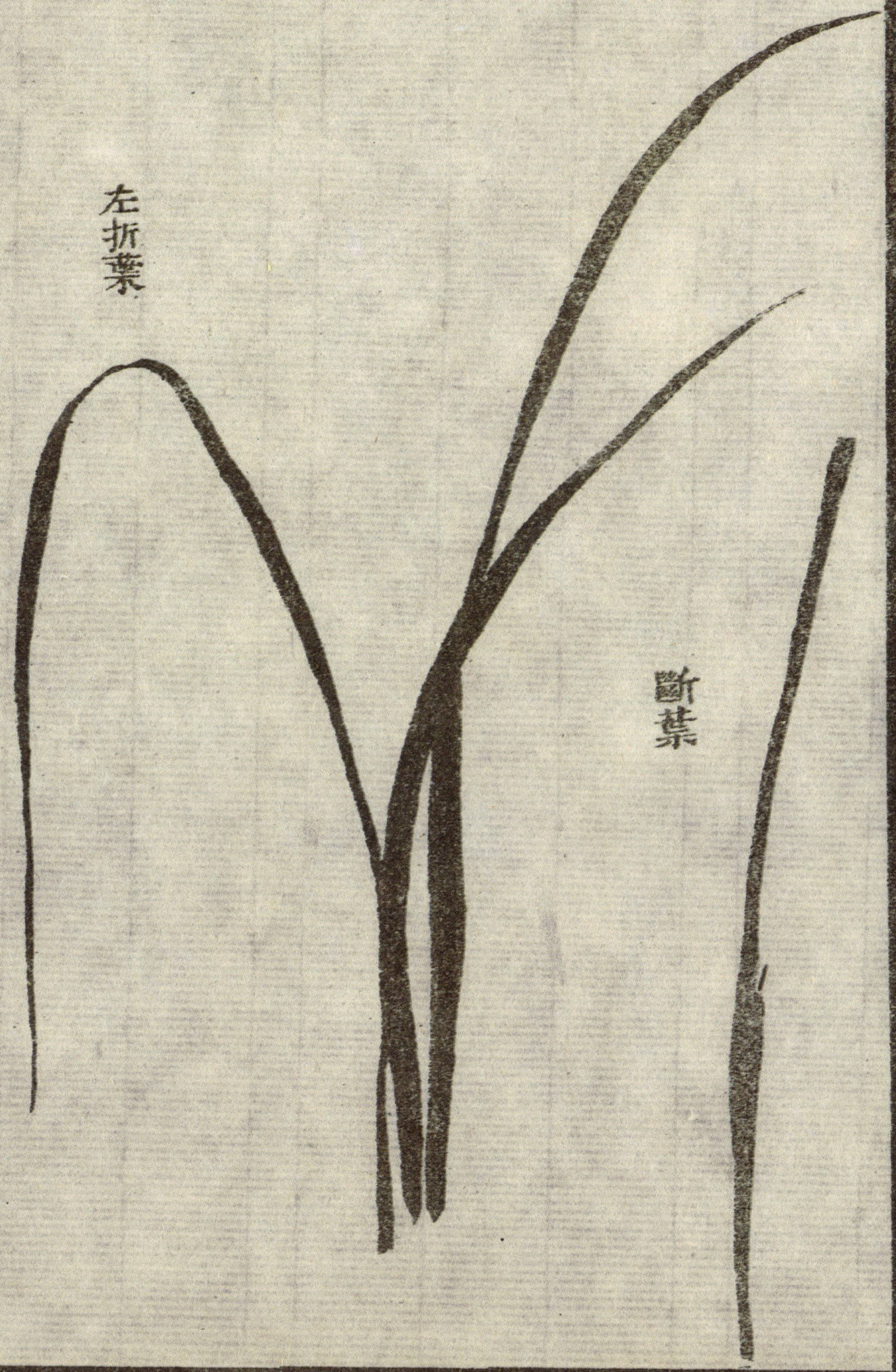
左折葉
斷葉

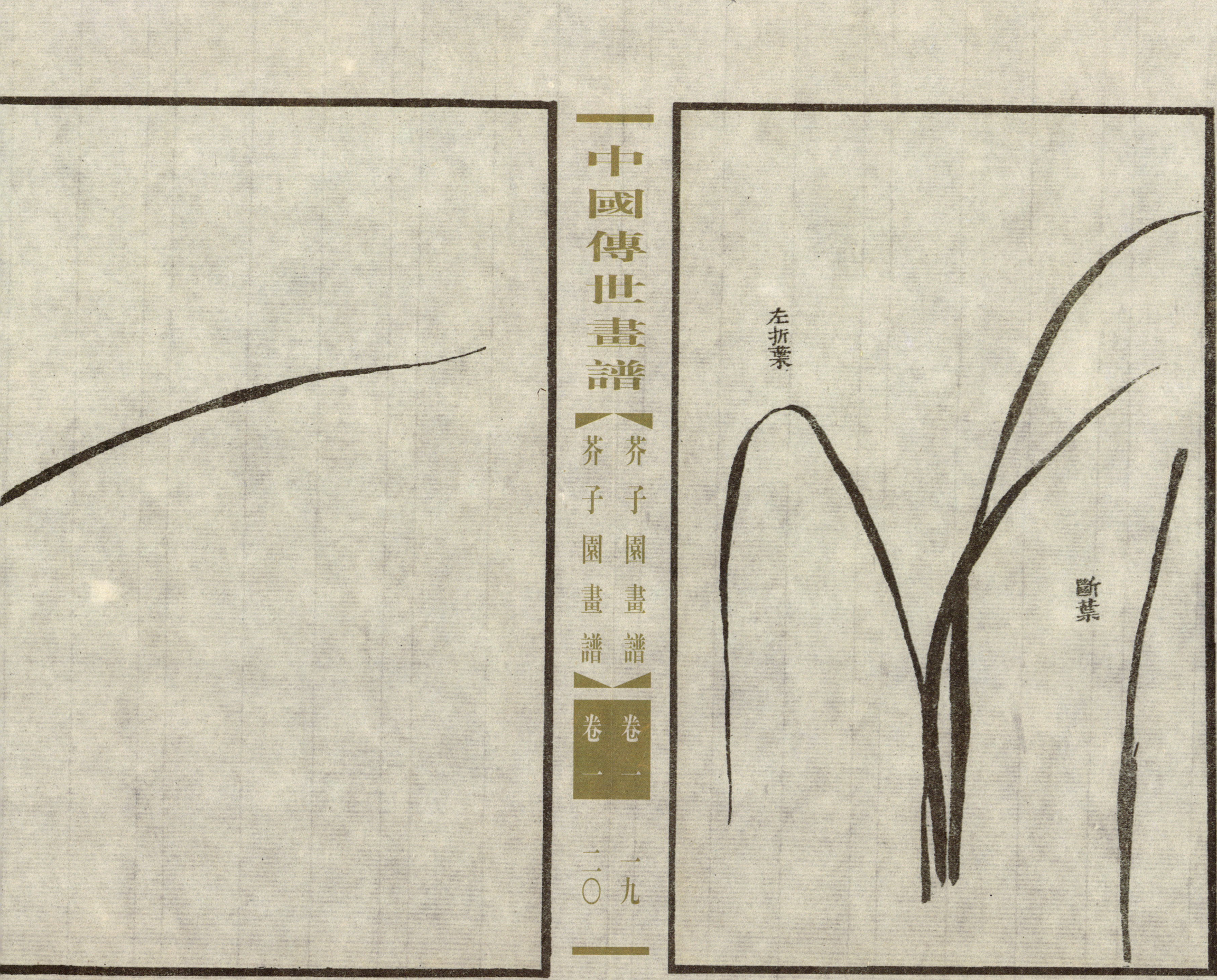

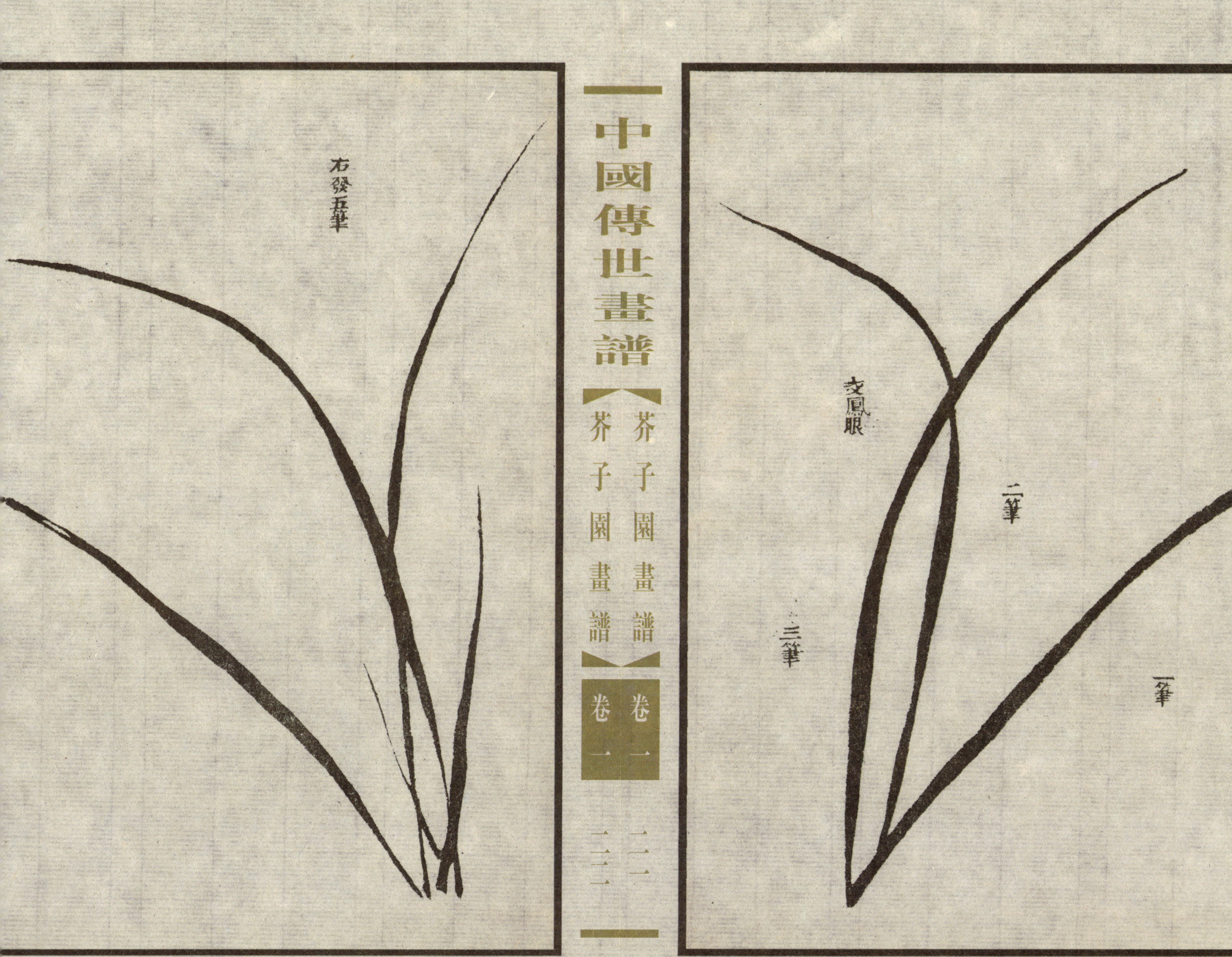

中國傳世畫譜

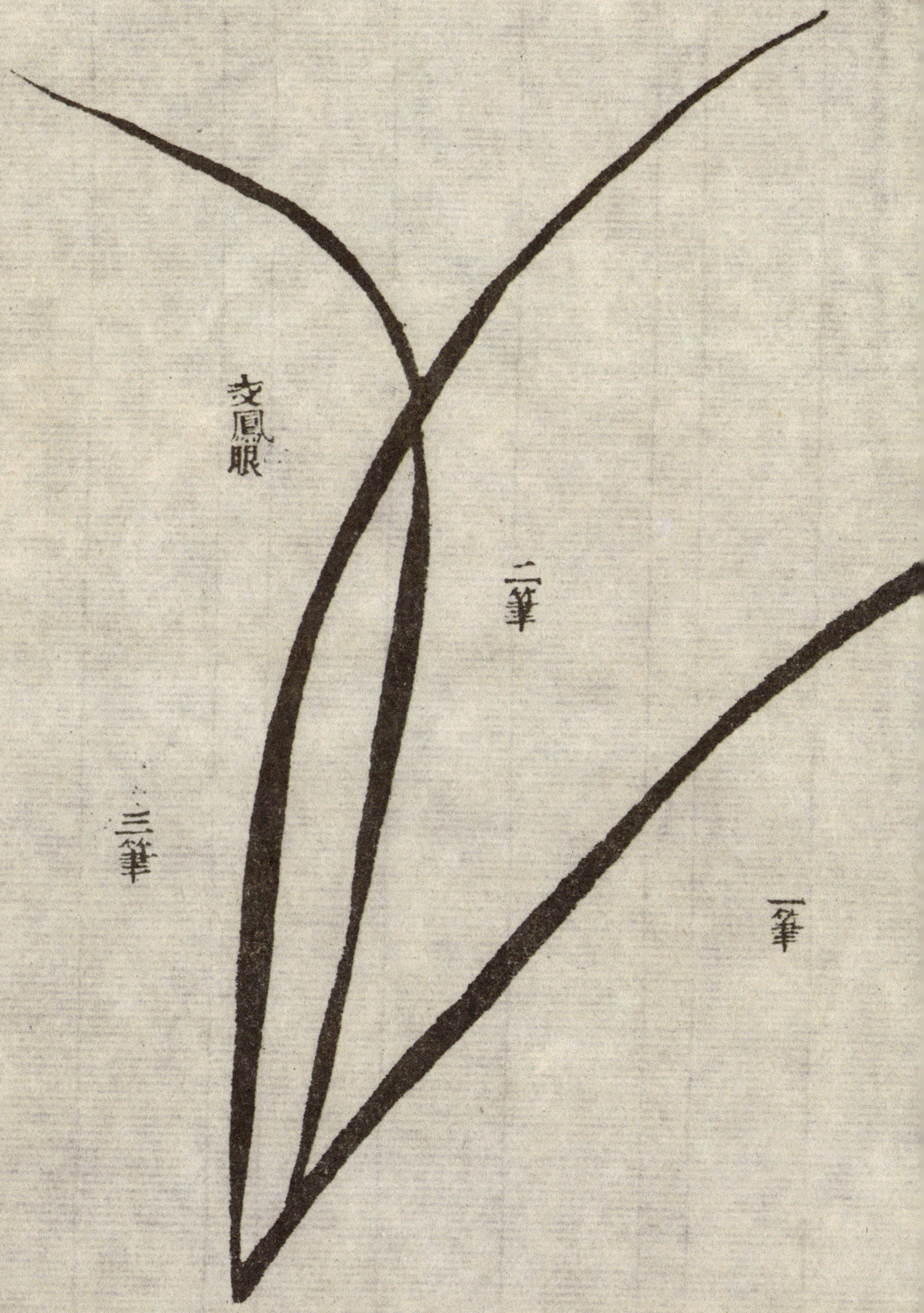

前起手一筆至三筆皆自左而右矣初學者順手易撇故也並作右發式以便由易而難循次以進凡畫蘭須積根雖多至數十葉不可勻更不可亂濃淡得宜寧揷得所是在神而明之

芥子園畫譜　卷一

凡畫兩叢須却有賓有主有照有應於半空處看花葉交互根邊小葉一名劍頭不可太多熟極自能生巧

雙勾葉式

凡畫蘭不出稀密二則密之所忌者結稀之所忌者拙

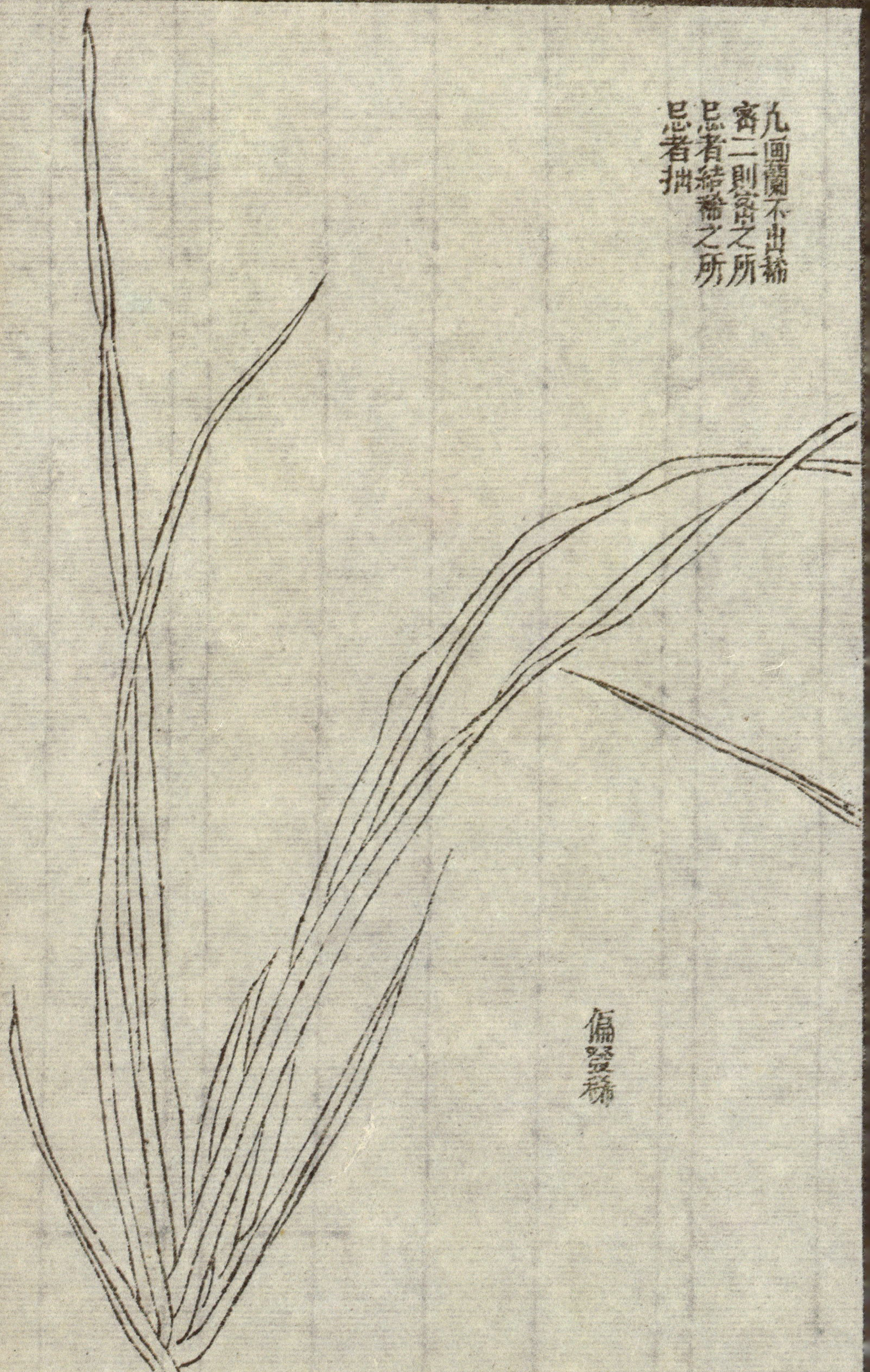

偏疊稀

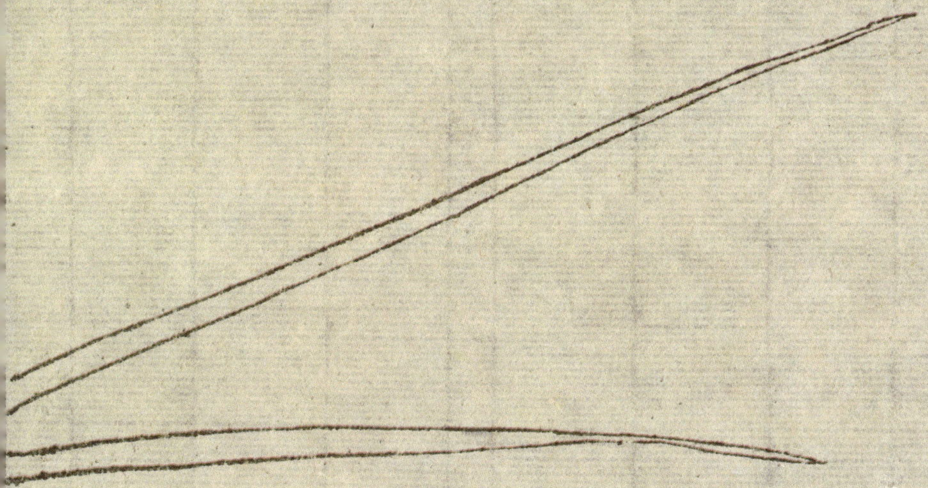

折葉以勁折取勢須剛中帶柔折中帶婉

撇葉倒垂式

鄭所南畫蘭多作懸若下垂此蕙葉也凡畫蘭須分草蘭蕙蘭閩蘭三種蕙葉多長草蘭葉長短不等閩蘭葉濶而勁草蕙春芳閩蘭夏秀惟春蘭葉多嫵媚之致故文人多畫之

寫花式

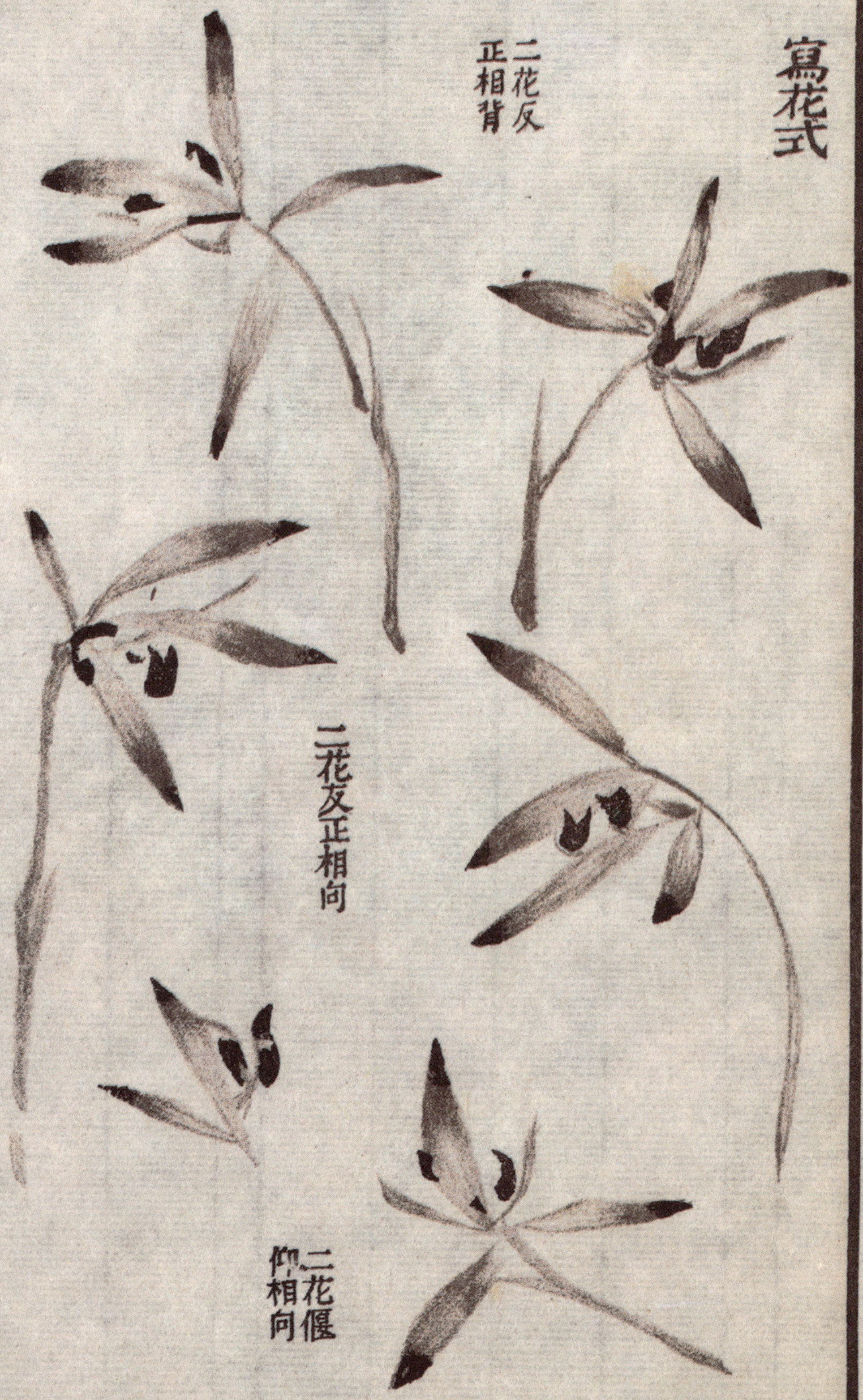

寫花必須五瓣爲則瓣之濶者正向瓣之狹者側向點心以濃墨正中是正面兩脅露出中瓣是背而點側處是側面

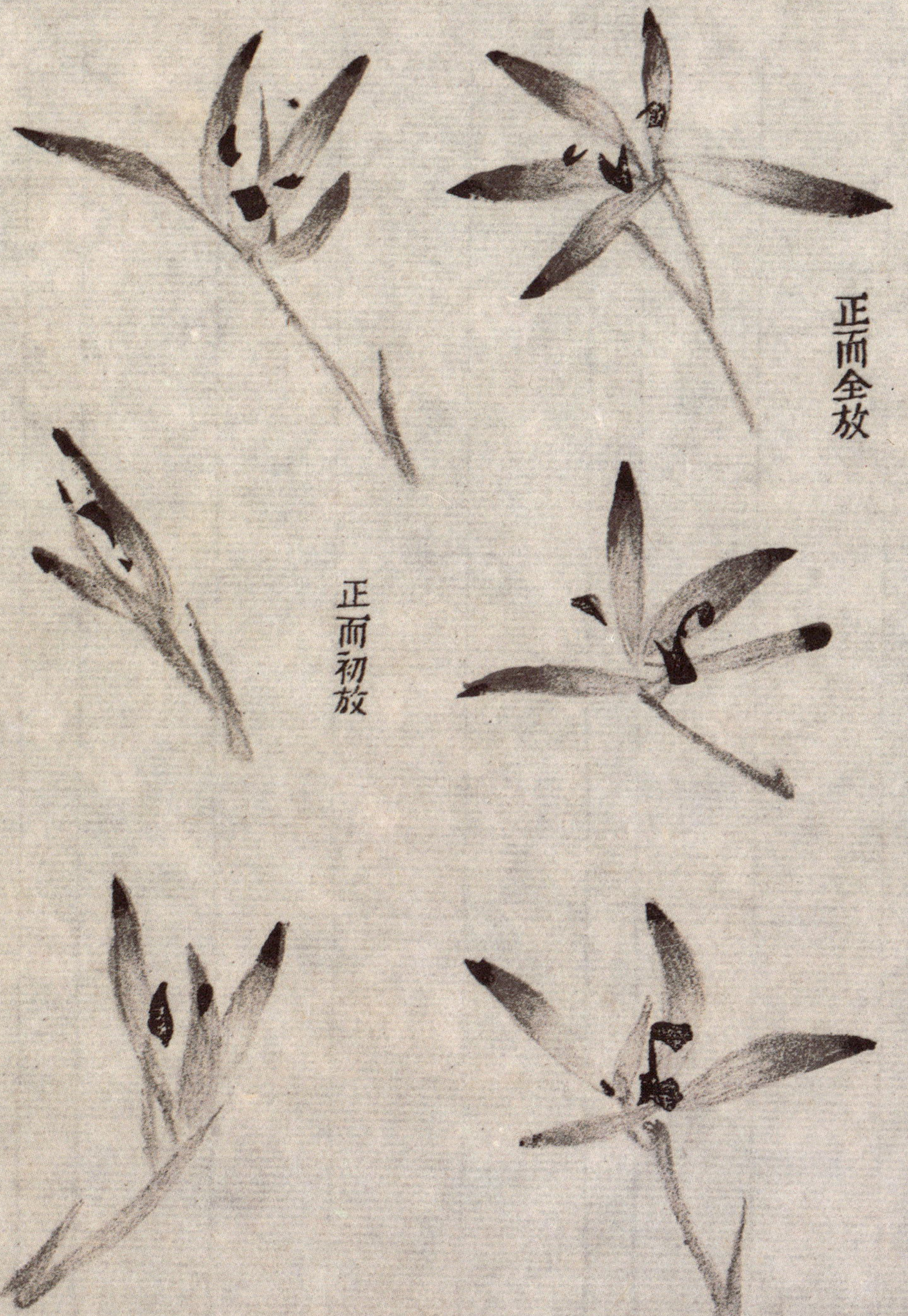

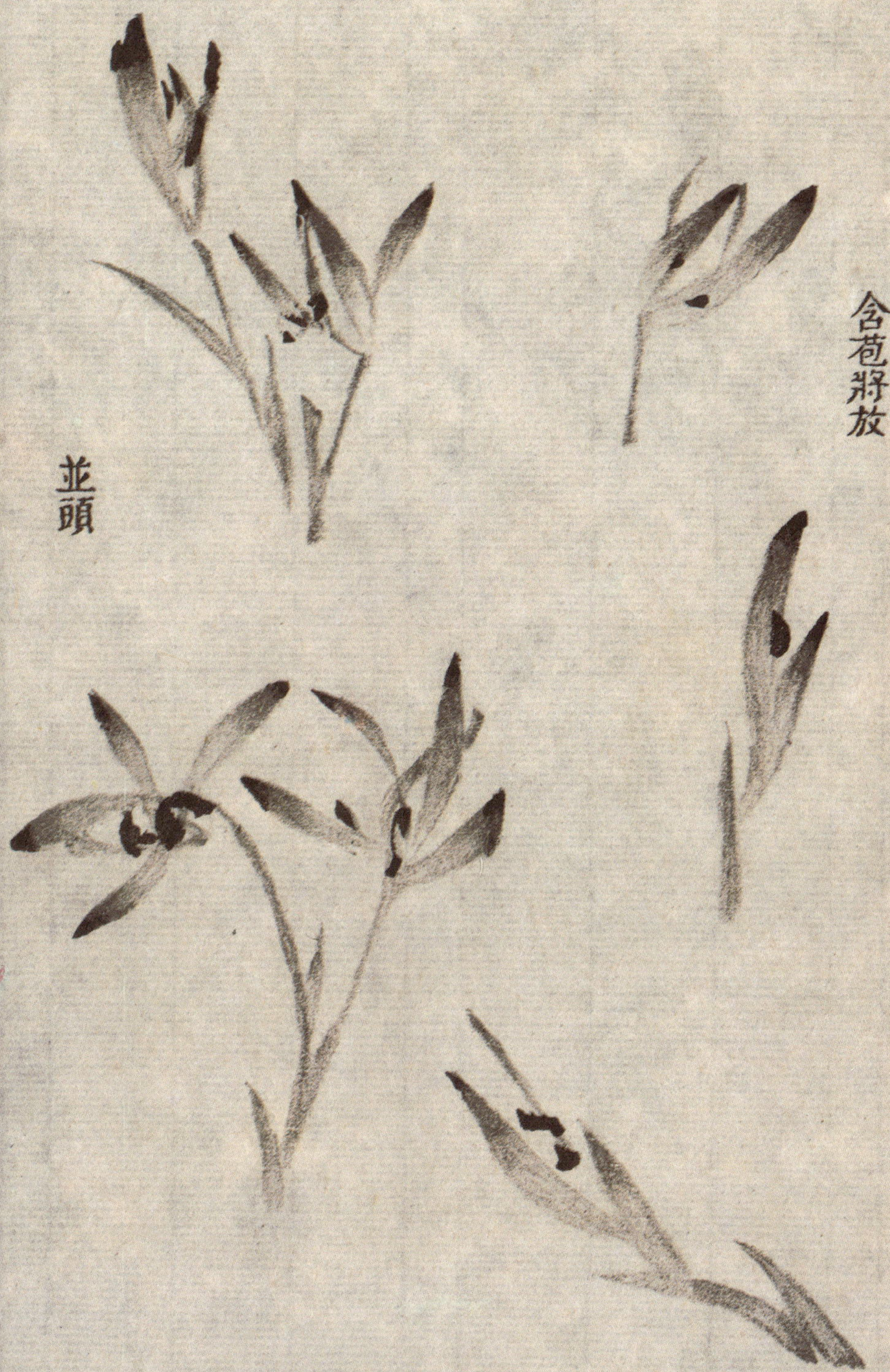

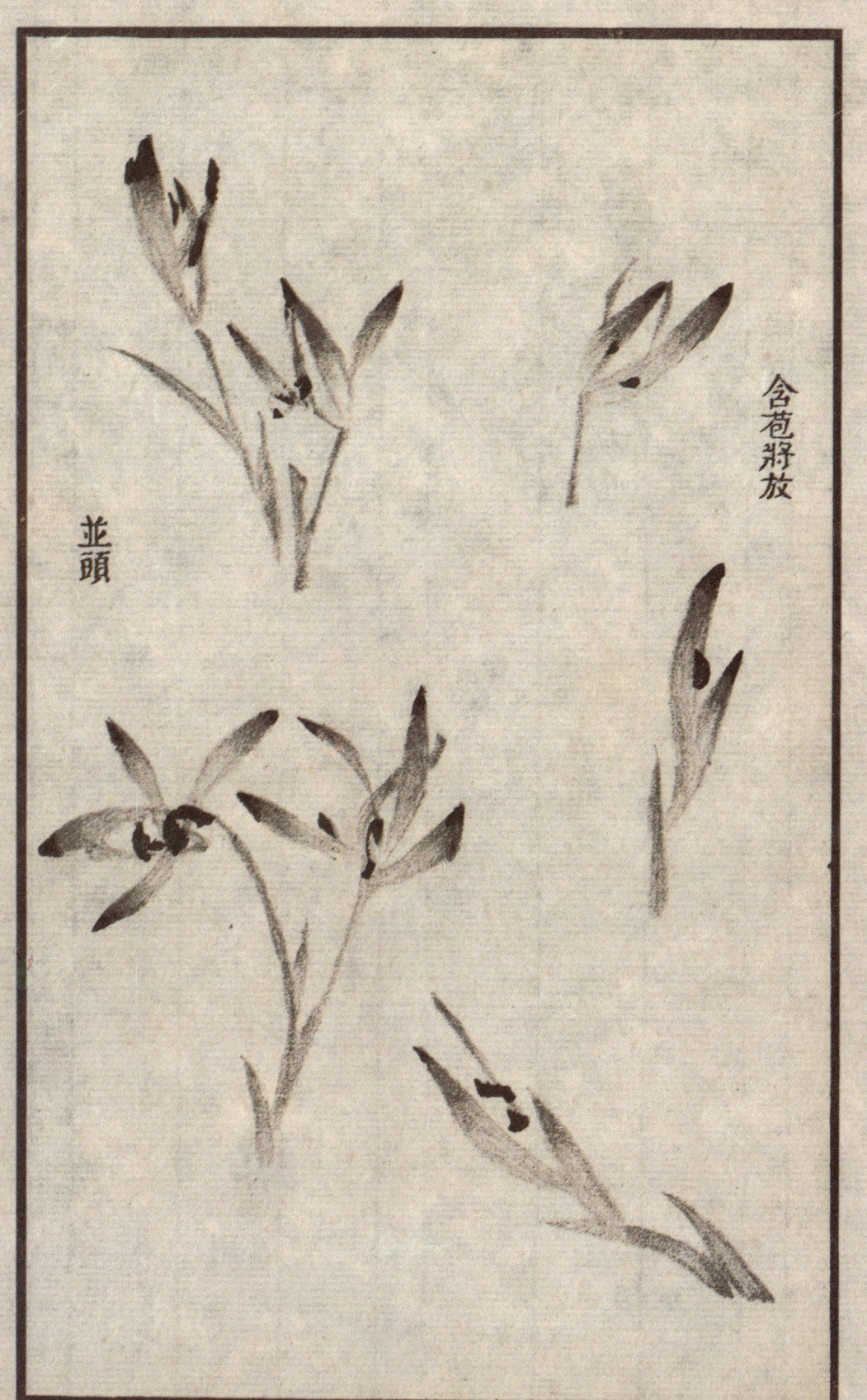

點心式

蘭心三點如心字或正或反或仰或側惟想蘭辨所宜用之此定格也至三點有帶為四點者遇陽瓣及衆花中恐與畫同不妨破格蕙花點心同此

雙勾花式

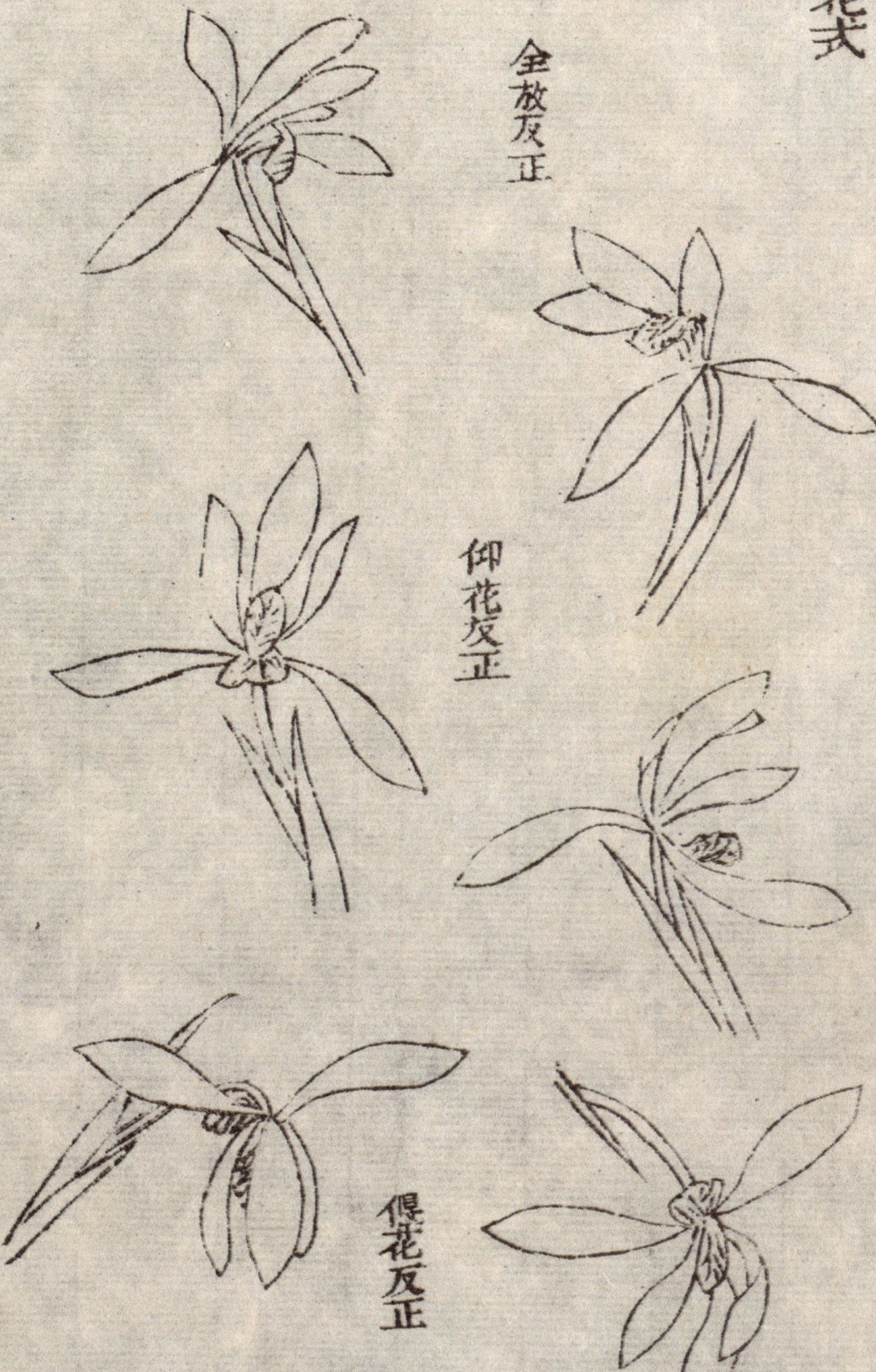

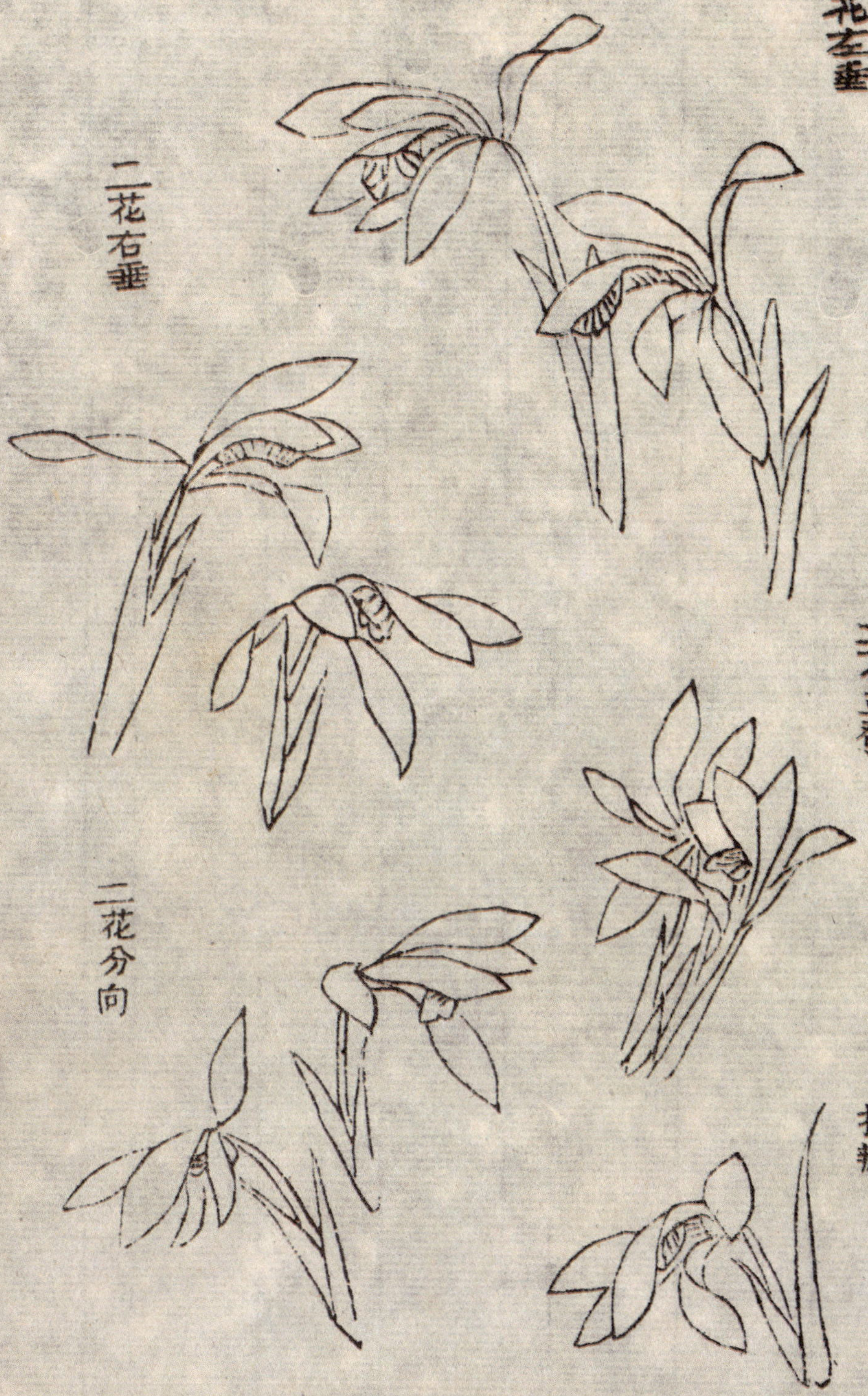

蜜蘭蕊有二筆三筆四筆之不同其蕊發自苞中與花一理

墨花發莖

鉤勒花發莖

宋之華光長老善畫梅文湖州善画竹已傳有梅竹二譜同時趙彝齋僧仲孺鄭所南俱善画蘭而蘭無譜考所南曾作蘭卷諸類悉備自標曰全是君子絕無小人非蘭譜而何故嘉禾李太僕君實作券與方樵逸欲託之訪搜古迹輯梅竹及蘭爲三譜亦未見成書也予爲芥子園畫傳二集先編蘭譜刪增丞林諸曰如鹽官王文蘊所摹古各迹以爲之自趙鄭二公創始君實欲譜而未成諸王二君成圖而未錄今子成之芥子園錄之後先皆屬越人申繼蘭亭之勝亦爲佳話矣

辛巳修禊日繡水王蓍識

仿馬湘蘭法

倣馬麟畫法

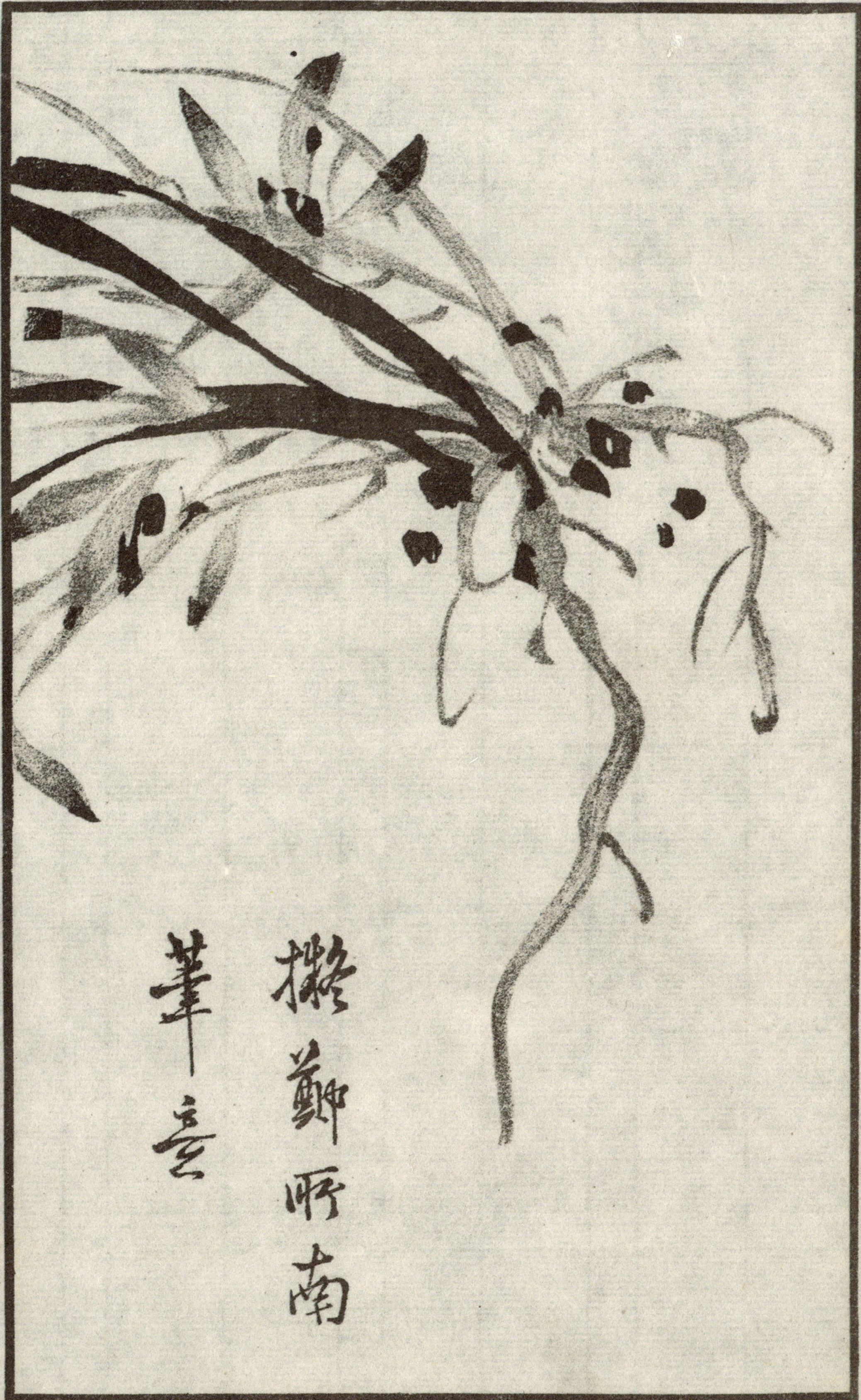
擬鄭所南
筆意

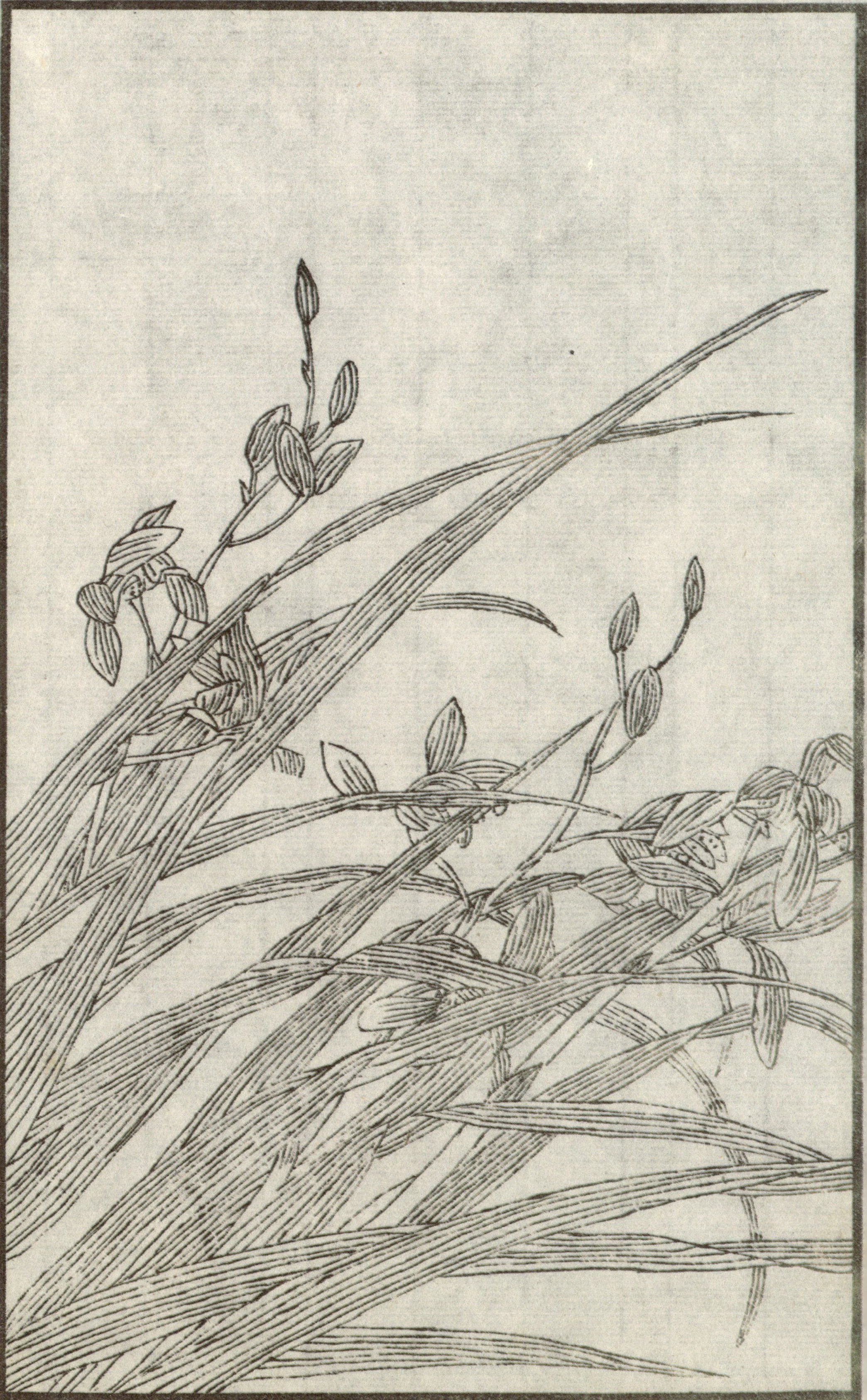

蘊菴質

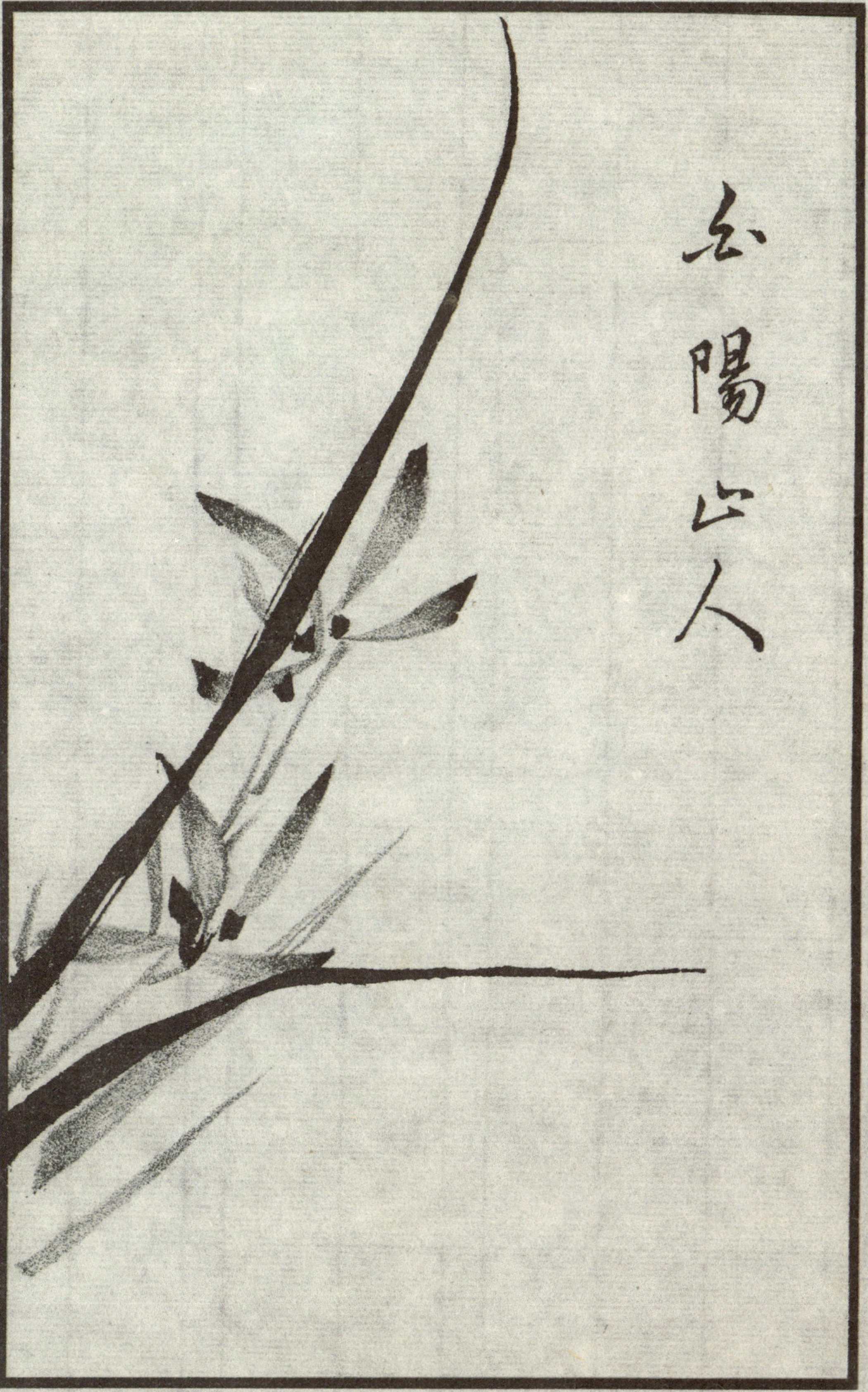
陽山人

學趙吳興

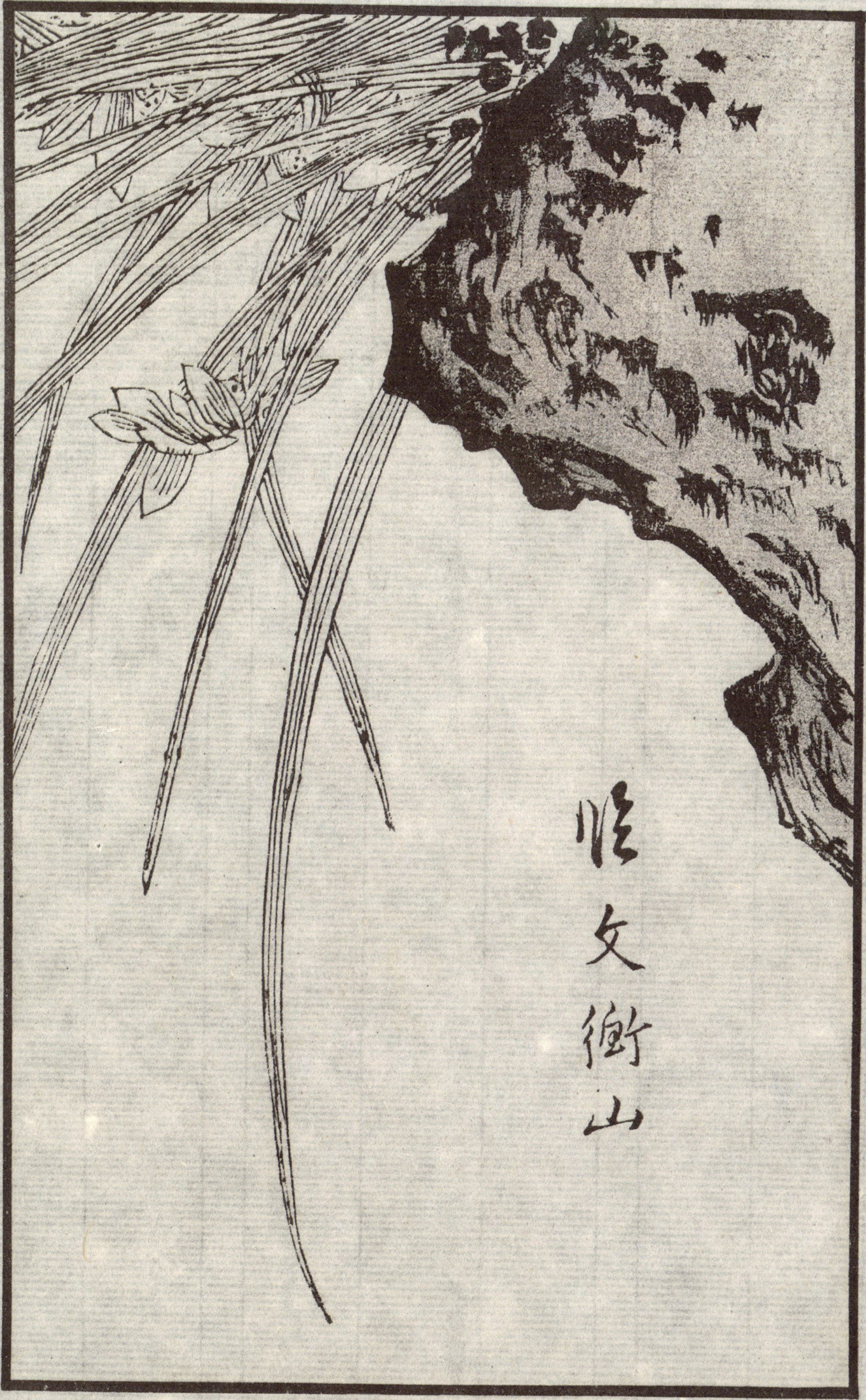
臨文衡山

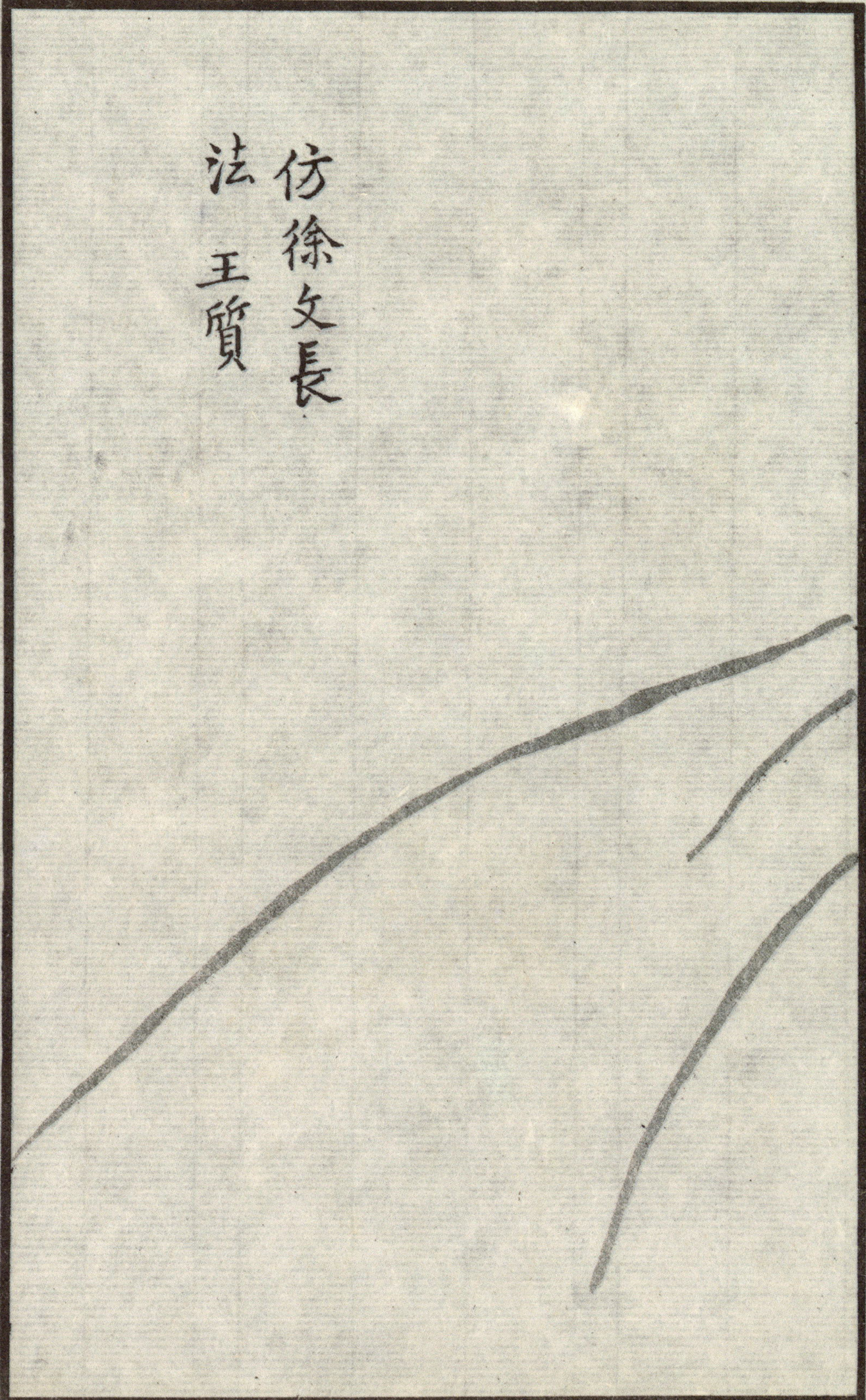
仿徐文長法
王質

倣六如居士

王穀祥

临徐青藤

十六圖中集諸家之法備各蘭
之體真筆花生於硯晚譜衆香
以為國用刻群芳豈復有與衆
卉為伍之嘆哉
繡水王臬跋於今幽軒